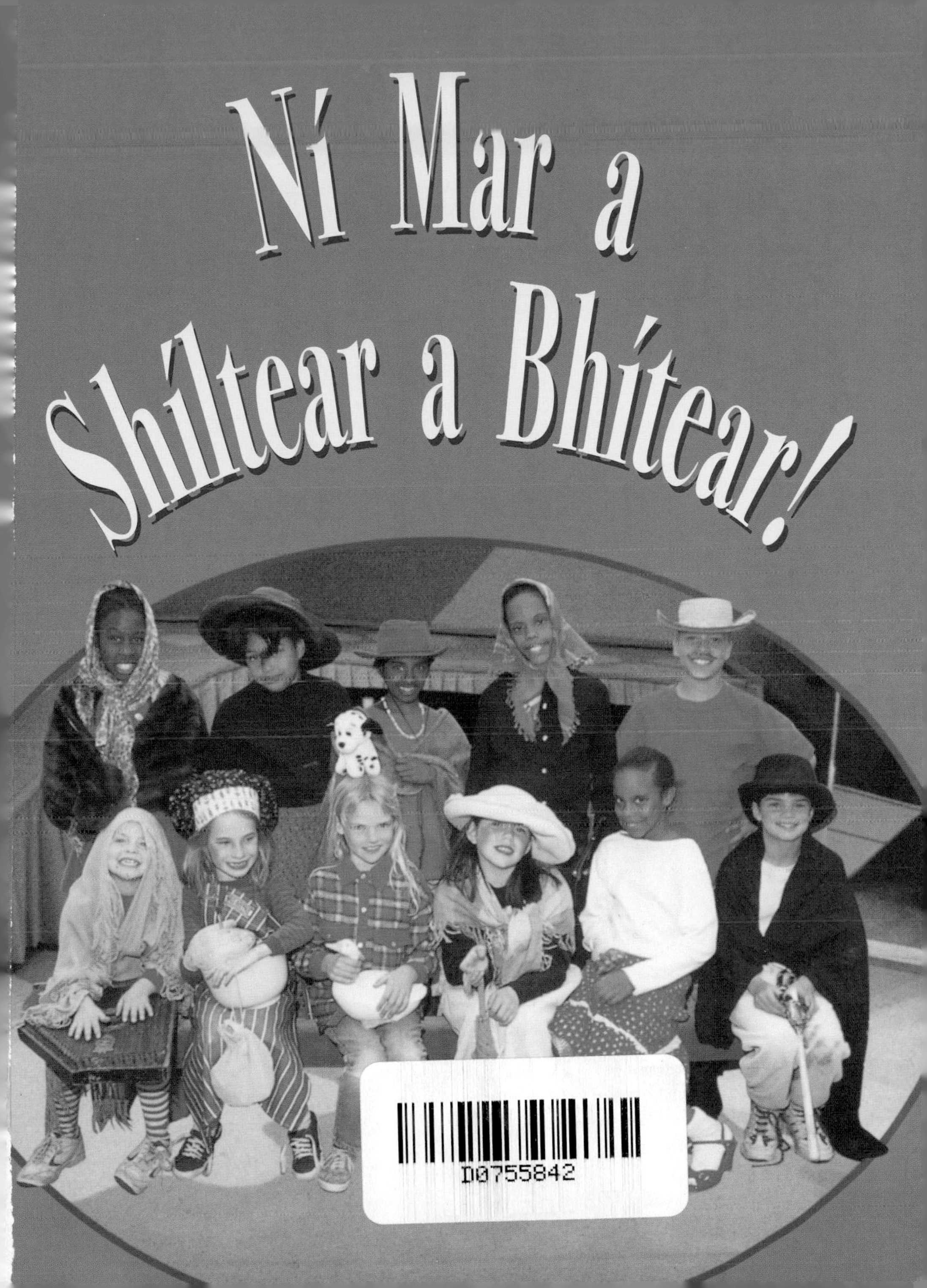
Ní Mar a
Shíltear a Bhítear!

Counter

Clár

CAIBIDIL 1

Am Dráma!

Tá spraoi ag baint le dráma a dhéanamh. Coinnigh roinnt rialacha i gcuimhne agus ansin thig leat ligean don tsamhlaíocht imeacht léi. Agus tú ag léamh an dráma, cuir na ceisteanna seo a leanas ort féin:

Cá háit a bhfuil an dráma suite?

Cad é mar atá na carachtair? An bhfuil siad deas nó dúr, ciúin nó callánach?

Cén tréimhse ina bhfuil an dráma suite? An t-am a chuaigh thart. An t-am atá le teacht? Anois? Cén t-am den lá? Samhradh nó geimhreadh?

An chéad uair a léann tú an dráma, sin an t-am ar chóir smaoineamh faoi na codanna den dráma. Mar shampla:

AISTEOIREACHT: Tá aisteoir ann le ról gach carachtar sa dráma a dhéanamh.

ÉADAÍ: Tá éadaí de dhíth ar gach carachtar.

SEIT: Tá *suíomh* ag gach dráma. Bíonn rudaí cosúil le troscán, cúlra, dathanna agus fabraicí ann.

SOILSE AGUS FUAIM: Cruthaíonn soilsiú speisialta agus fuaimeanna éagsúla atmaisféar.

FEARAS: Is rudaí iad seo, cosúil le guthán nó scáthán, a úsáideann carachtair nó a bhíonn ina lámh.

Sna chéad chaibidlí eile, tá roinnt leideanna ann le cuidiú leat dráma iontach a dhéanamh.

CAIBIDIL 2

Aisteoireacht

Bíonn tú ag aisteoireacht nuair a ligeann tú ort féin gur duine eile thú. Tosaigh leis na rudaí a deir agus a dhéanann do charachtar sa script. Ansin úsáid do shamhlaíocht. Lig ort gur tusa an carachtar agus cuir na ceisteanna seo ort féin:

Cé mise? An bhfuil mé cairdiúil nó suarach? An bhfuil mé cróga nó an bhfuil eagla orm?

Cad é a dhéanaim? An laoch mé? An bhfuil mé trioblóideach? An bhfuil mé greannmhar?

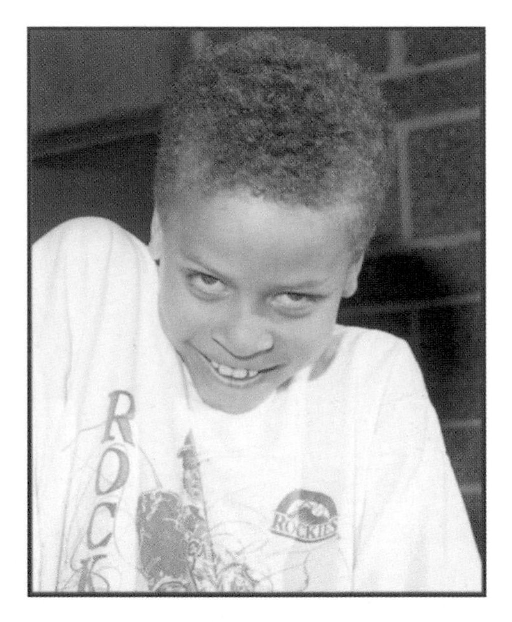

AN LAOCH ⇧

I nGRÁ ⇩

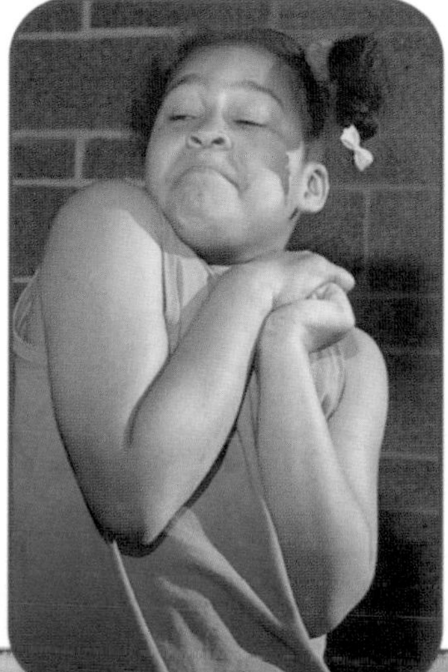

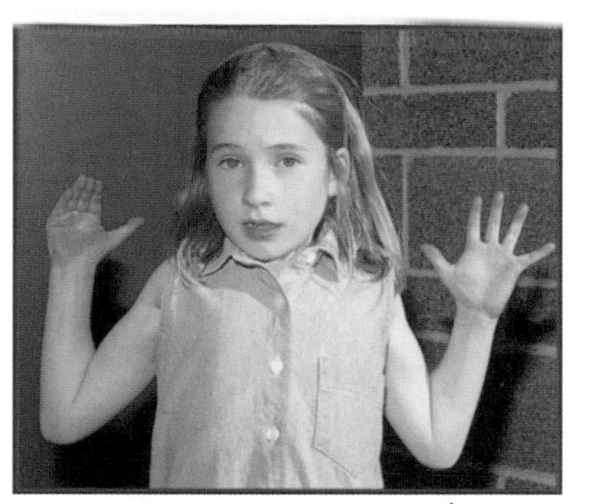

EAGLA UIRTHI ⇧

BRÓN UIRTHI ⇩

Anois, thig leat amharc níos doimhne ar do charachtar. Amharc ar na nótaí sa script, ach úsáid do shamhlaíocht le tréithe do charachtair a oibriú.

Cén chuma atá ar do charachtar? Samhlaigh an chuma atá ar do charachtar. Siúil thart ag ligean ort féin gur tusa do charachtar.

Anois, seo an t-am le do chuid línte a chur de ghlanmheabhair. Is *leideanna* duitse iad línte na n-aisteoirí eile. Insíonn siad duit cá huair a déarfaidh tusa do chuid línte. Má chuireann tú an dráma de ghlanmheabhair, cuideoidh tú leis na haisteoirí eile a gcuid línte féin a thabhairt chun cuimhne.

LEID

Agus tú ag cleachtadh, bain triail as do chuid línte a rá ar dhóigheanna éagsúla:
'Níl **aon** tinteán mar do thinteán féin.' 'Níl aon **tinteán** mar do thinteán féin.' 'Níl aon tinteán mar do thinteán **féin**.'
Roghnaigh an dóigh is fearr a oibríonn duit.

Nuair atá cur amach ag gach ball den fhoireann ar a gcuid línte, thig libh tosú a *chleachtadh*. Agus sibh ag cleachtadh, foghlaimíonn aisteoirí a gcuid línte agus cleachtann siad a gcuid gluaiseachtaí. Oibrígí le chéile lena oibriú amach cén áit ar chóir do na carachtair dul, suí nó seasamh.

Ná déan dearmad, fiú mura bhfuil tú ag caint tá tú AG AISTEOIREACHT go fóill. Thiocfadh le duine sa lucht féachana bheith ag amharc go díreach ortsa. Thiocfadh leat bheith ar an duine is spéisiúla ar an stáitse gan focal a rá!

Seicliosta

 Samhlaigh an chuma atá ar do charachtar.

 Samhlaigh an dóigh a mbogann do charachtar.

 Samhlaigh guth do charachtair.

✔ Foghlaim do chuid línte agus leideanna.

CAIBIDIL 3

Éadaí

Le héadaí do charachtair a dhéanamh, oibrigh amach cad é mar a ghléasann sé nó sí. Fiafraigh díot féin:

Cén t-atmaisféar atá ann? An bhfuil spraoi agus greann sa dráma? Nó an bhfuil sé dorcha agus scáfar? Cad é mar a athraíonn dath mo chuid éadaí an t-atmaisféar?

Cén sórt carachtair atá ann? Cé acu saibhir nó bocht atá mo charachtar? Cá bhfuil cónaí ar mo charachtar?

LEID

Bíodh ar a laghad dhá *réamhléiriú feistithe* agaibh sa dóigh go bhfuil gach duine compordach. I ndiaidh réamhléiriú feistithe, beidh tú ábalta athruithe a dhéanamh.

Cuardaigh cur síos ar na héadaí sa script. Tarraing pictiúr de na héadaí duit féin.

Nuair atá a fhios agat an rud atá de dhíth ort, sin an t-am leis na héadaí a dhéanamh!

Seicliosta

- ✔ Tarraing pictiúr de na héadaí.
- ✔ Bailigh na héadaí.
- ✔ Déan réamhléiriú agus na héadaí ort.

CAIBIDIL 4

Seit

Is minic a chuireann an script an seit in iúl: teach, coill, clós scoile. Ach is tusa a shocraíonn ar chuma an tseit!

Agus tú ag léamh, smaoinigh ar:

Cá háit a bhfuil an dráma suite? I seomra?

Sa pháirc? Sa tsráid?

Cá háit a léireoidh na haisteoirí an dráma?

Ar stáitse? I seomra? Taobh amuigh?

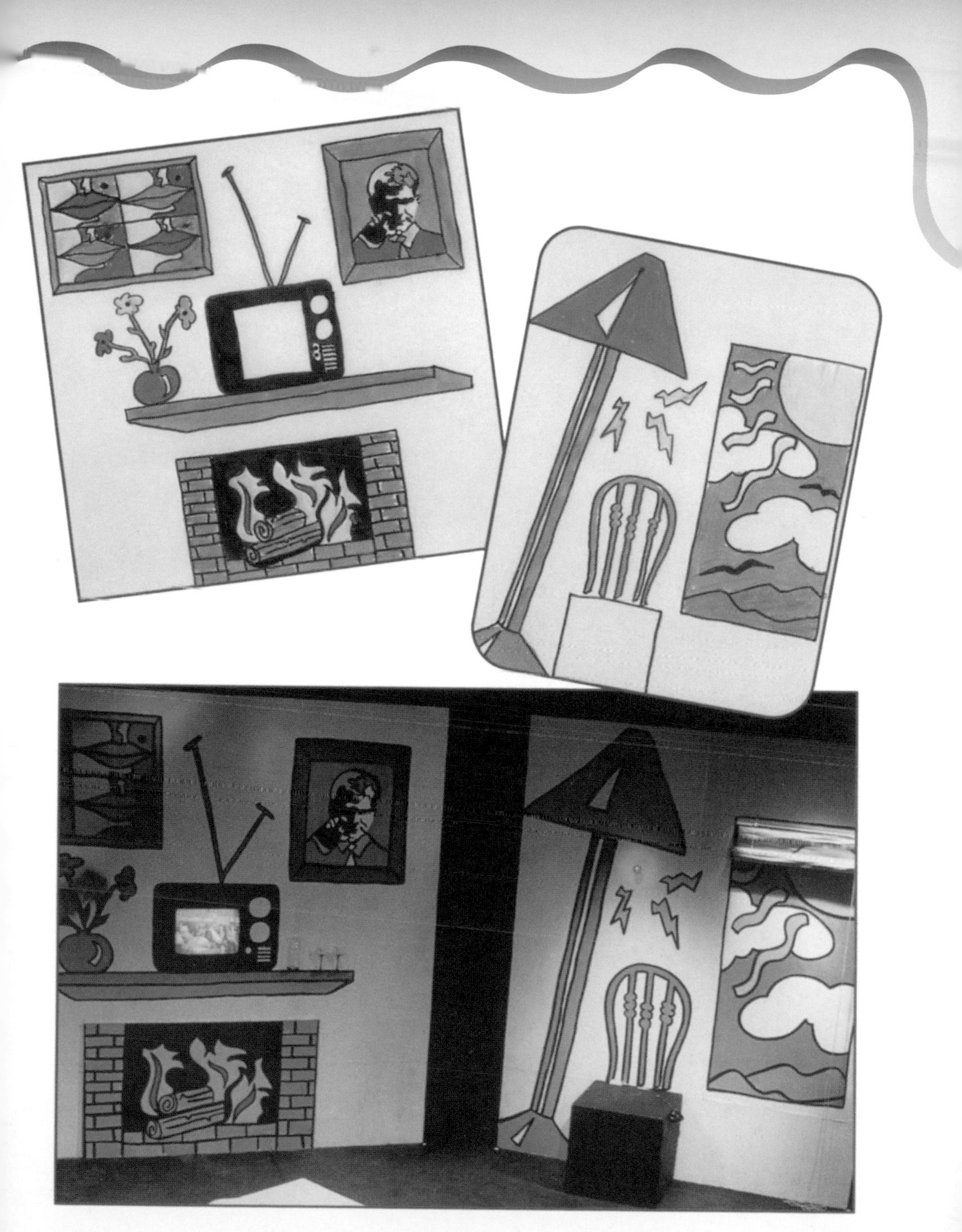

Cad é an t-atmaisféar sa dráma? An bhfuil sé scáfar nó éadrom? An scéal fíor é nó síscéal. Thig leat dathanna geala a úsáid le hatmaisféar éadrom a léiriú. Léiríonn dathanna dorcha brón. Bíonn dathanna geala le himlíne dhubh cosúil le cartún.

Beidh tú ábalta *cúlra* a phéinteáil don seit.

Cuireann na dathanna a úsáideann tú agus na pictiúir a phéinteálann tú ar an chúlra leis an seit.

LEID

San amharclann, tá gach rud samhlaíoch. Mar sin, tá sé ceart go leor bloic mhóra nó boscaí móra a úsáid in áit cathaoireacha, táblaí nó struchtúr eile. Seiceáil le duine fásta sula dtosaíonn tú a phéinteáil rud ar bith.

Nuair a bhíonn an troscán uilig bailithe agat agus é péinteáilte, cuir gach rud ar an seit. Ansin déan an réamhléiriú deireanach le gach rud ina áit.

LEID

Nuair atá tú ar an stáitse, ná déan dearmad go dtugtar na treoracha uilig ó dhearcadh an aisteora.

- THUAS STÁITSE: sin an chuid den stáitse is faide ar shiúl ón lucht féachana, go minic taobh thiar den aisteoir.
- THÍOS STÁITSE: sin an chuid den stáitse is cóngaraí don lucht féachana.
- AR DHEIS: ar dheis ón aisteoir, agus an t-aisteoir ag amharc amach chuig an lucht féachana.
- AR CHLÉ: ar chlé ón aisteoir, agus an t-aisteoir ag amharc amach ar an lucht féachana.

Seicliosta

✔ Tóg agus péinteáil an seit.

✔ Cuir na treoracha stáitse de ghlanmheabhair: Thuas stáitse, thíos stáitse, ar dheis, ar chlé.

✔ Déan cleachtadh ar bhogadh thart sa seit.

CAIBIDIL 5

Soilse agus Fuaim

Cuireann soilse agus fuaim le do dhráma. Is féidir le soilse cuma fhíor a chur ar an dráma. Nuair a smaoiníonn tú ar na soilse, fiafraigh díot féin:

Cá háit agus cén t-am a mbeidh an dráma ar siúl?

Taobh istigh nó taobh amuigh? Samhradh nó geimhreadh? Cén t-am? An athraíonn sé le linn an dráma?

Cá háit a léireoidh sibh an dráma? Taobh istigh nó taobh amuigh? An mbeidh solas nádúrtha ann? Cad é a tharlaíonn má osclaíonn duine doras nó fuinneog?

AIRE

Agus tú ag obair le soilse, fuaim nó cineál ar bith leictreachais, bí cinnte go bhfuil duine fásta i láthair le súil a choinneáil ar rudaí.

Tóg na leideanna soilse uilig ó líne nó ó ghníomh aisteora sa dóigh go mbeidh a fhios agat cá huair atá na soilse le hathrú. Déan réamhléiriú nó dhó leis na leideanna soilsithe ann sa dóigh go mbeidh tú cinnte go bhfuil gach rud ag obair.

Líonann fuaim an domhan a chruthaigh an seit agus na soilse. Smaoinigh ar na fuaimeanna is féidir a chluinstin le linn an dráma. Mar shampla, má tá an oíche ann, cad iad na fuaimeanna oíche is féidir a chluinstin?

Is féidir fuaimeanna a fháil don dráma ó go leor áiteanna. Ina measc tá:

GUTH: Thig leatsa agus leis na haisteoirí eile aithris a dhéanamh ar ainmhithe, ar an ghaoth, ar innill srl.

FUAIMEANNA FÍORA: Thig leat taifead a dhéanamh d'fhuaimeanna ar ríomhaire agus iad a chasadh nuair is gá.

Nuair a chuireann tú fuaimeanna leis an dráma, smaoinigh ar an mhothú a dhéanann siad. Mar shampla, níor mhaith leat radharc iontach corraitheach a mhoilliú le ceol bog séimh.

Má chuireann tú fuaimeanna ar ríomhaire, bí cinnte go n-úsáideann tú lipéad ar leith do gach éifeacht. Má chuireann tú na fuaimeanna uilig le chéile tá contúirt ann go gcasfaidh tú an fhuaim chontráilte.

Bí cinnte go bhfuil an lipéad ceart ar gach fuaim. Níor mhaith leat tafann a chluinstin nuair atá cat ar an stáitse!

Ba chóir na *leideanna fuaime* a cheangal le líne nó gníomh aisteora, go díreach mar a bhí leis na soilse. Déan réamhléiriú uair nó dhó leis na leideanna fuaime ann sa dóigh go n-oibríonn gach rud.

Seicliosta

- ✔ An bhfuil duine fásta agat le cuidiú leat leis na soilse agus leis na fuaimeanna.
- ✔ Roghnaigh na soilse agus na fuaimeanna ba mhaith leat a úsáid.
- ✔ Bailigh nó déan na fuaimeanna ba mhaith leat.
- ✔ Socraigh na leideanna fuaime agus soilse.
- ✔ Déan réamhléiriú leis na soilse agus leis na fuaimeanna.

CAIBIDIL 6

Fearas

Is é atá i gceist leis an fhearas na rudaí a úsáideann carachtar le linn an dráma, m.sh. scáth fearthainne nó buicéad. Is féidir le fearas spraoi a chur sa dráma nó é a dhéanamh réalaíoch.

Is smaoineamh maith é gach aisteoir a fhearas féin a fháil. Léigh an dráma lena fheiceáil cén fearas a bheidh de dhíth. Fiafraigh díot féin:

Cá háit a bhfuil an dráma suite? Cén sórt rudaí a bheadh ann?

Cén t-am a bhfuil an dráma suite? An aimsir chaite, anois nó san am atá le teacht?

BISTRO

LEID

Bí cinnte nach bhfuil ailléirge ar dhuine ar bith leis an bhia nó le deoch. Seiceáil le duine fásta go bhfuil gach rud slán.

Déan liosta de na píosaí fearais a deir an script atá **riachtanach**, agus cuir rudaí eile leis ba mhaith leat a úsáid. An bhfuil smaoineamh ar bith ag na haisteoirí eile?

Smaoinigh ar cad é a dhéanfaidh tú leis an bhia agus deoch. Ná déan dearmad, ní gá do gach rud bheith fíor, gan ach cuma fhíor a bheith orthu!

Déan cleachtadh leis an fhearas. Tóg na rudaí agus úsáid iad agus sibh ag déanamh réamhléirithe. Triail dóigheanna difriúla.

Seicliosta

- ✔ Liostaigh na rudaí atá riachtanach.
- ✔ Cuir leo más maith leat.
- ✔ Cuir an fearas in áit a dtig leat teacht air go furasta.
- ✔ Déan réamhléiriú leis an fhearas.

CAIBIDIL 7

Ádh Mór!

Sula dtaispeánann tú an dráma, beidh ort é a fhógairt. Cuir suas fógraí dráma agus *bileoigíní* faoin dráma, thart ar an scoil. Thig leat iad a thabhairt amach do thuismitheoirí agus do chairde.

Agus sula dtosaíonn an dráma, tabhair amach *cláir* ina mbeidh liosta na gcarachtar agus eolas faoi shuíomh agus faoi thréimhse an dráma.

Ná déan dearmad go bhfuil ionad atá thuas stáitse níos tábhachtaí ná ionad atá thíos stáitse. Mar sin de, bí cinnte go mbíonn na carachtair is tábhachtaí chun tosaigh.

LEID

Bíonn sé ina chuidiú má fhanann duine ar chúl an stáitse leis na línte a rá i gcogar ar eagla go ndéanann aisteoir dearmad ar na línte.

CAIBIDIL 8

Margadh Maith

Carachtair

Seán: Buachaill óg, seacht nó ocht mbliana d'aois

Máthair Sheáin: Bean chineálta le naprún geal agus scairf uirthi

Feirmeoir: Seanduine cromtha le hata mór féir air

Bean tuaithe: Bean le gúna agus seál

An Cócaire: Bean le naprún mór bán agus hata mór uirthi

Breitheamh: Fear le róba dorcha air.

Suíomh: Bóithrín

Am: Maidin shamhraidh

Smaointe Léiriúcháin

Smaointe Seit: Teach, tábla agus bóthar de dhíth. Thiocfadh leat iad a phéinteáil ar an chúlra. Péinteáil bláthanna samhraidh, crainn agus éin. Agus cad é faoi mhadadh Sheáin?

Smaointe Soilse: An samhradh atá ann, mar sin beidh na soilse geal. Thig leat na soilse a ísliú le luí na gréine a léiriú.

Smaointe Fuaime: Smaoinigh ar fhuaimeanna an tsamhraidh, m.sh. ceol na n-éan agus géimneach na mbó. An mbíonn madadh Sheáin ag tafann?

Smaointe Éadaí: Cad é faoin dráma a thabhairt go dtí an lá inniu? Dá mbeadh Seán beo inniu cad iad na héadaí a bheadh air? An mbeadh clár scátála aige? An mbíonn a mháthair ag obair? Cén sórt éadaí a bheadh ar an chócaire? Ar an bhreitheamh?

Smaointe Fearais: Bheadh sé doiligh gé bheo a choinneáil ar an stáitse. Smaoinigh ar phictiúr gearrtha amach nó bréagán.

Seán: *(Téann sé isteach sa seomra, áit a bhfuil Máthair Sheáin ag obair.)* A Mháthair, tá mé ag imeacht le m'fhortún a shaothrú. Tabharfaidh mé póg don mhadadh agus ansin buailfidh mé liom. Ná bí i do shuí ag fanacht liom!

Máthair Sheáin: Bí cinnte go nglanfaidh tú ar chúl na gcluas. *(Fágann Seán a bhaile agus siúlann síos an bóthar tamall. Stopann sé agus amharcann ar rud éigin ar an bhóthar. Cromann sé le hé a thógáil.)*

Seán: Cad é an rud é seo? Síol?

(Go tobann, tagann Feirmeoir, agus gé mhór ina lámh.)

An Feirmeoir: Cad é sin atá agat?

Seán: Síol, sílim.

An Feirmeoir: Síol! Is dócha gur síol pónaire atá ann. Chuala mé faoi shíol pónaire draíochta a d'fhás go díreach suas sa spéir, go dtí caisleán fathaigh a bhí lán óir . . . Is dócha gur leaid maith thú. Tabharfaidh mé an ghé bhreá seo duit agus tabhair thusa an síol beag sin. Bhain sí duais mhór ag gach aonach tíre le cúig bliana anuas.

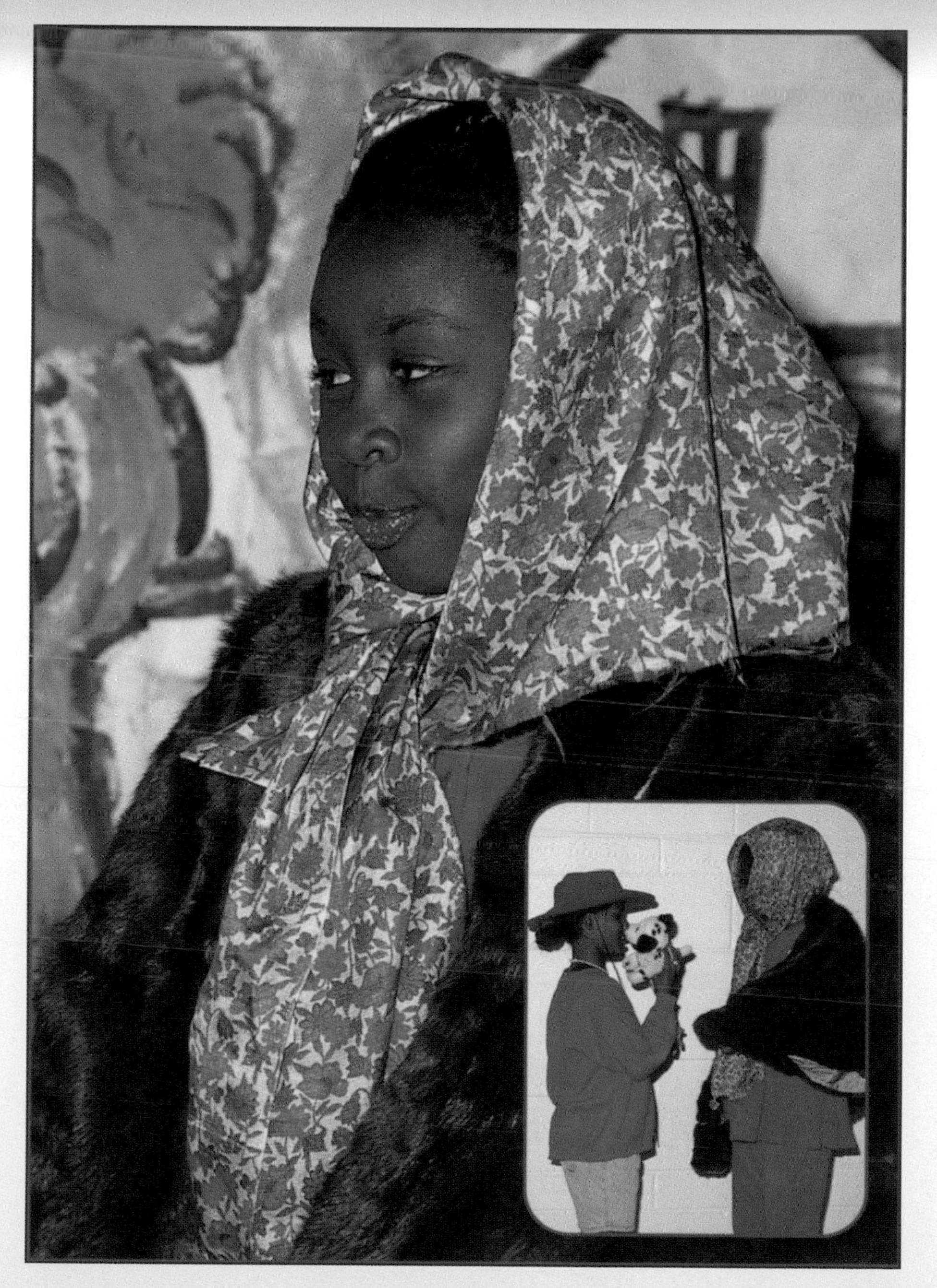

Seán: An bhfuil tú cinnte? Ní dóigh liom gur síol draíochta é.

An Feirmeoir: Mise amháin a bheidh buartha faoi sin. Ná hábair a dhath. Anois, sin margadh maith!

(Beireann an Feirmeoir greim ar an síol agus ritheann sé leis, ag caitheamh na gé chuig Seán, a dhéanann iarracht greim a fháil uirthi. Go tobann, tagann Bean Tíre agus cláirseach á hiompar aici.)

An Bhean Tíre: Cá bhfuil do thriail an mhaidin bhreá seo, a mhic?

Seán: Tá mé ar lorg m'fhortúin.

An Bhean Tíre: Agus cad é mar a dhéanfaidh tú é sin? Níl an t-ór ina luí thart ar an talamh, an bhfuil?

Seán: Tá mé ag dul a dhíol na gé seo. Chuala mé gur bhain sí an duais mhór ag gach aonach tíre le cúig bliana anuas.

An Bhean Tíre: Chuala mé faoi ghé mar sin. Tabharfaidh mé an chláirseach bhreá seo duit ar a son agus ní bheidh siúlóid mhór chun an bhaile mhóir ar cheachtar againn.

Seán: Níl a fhios agam . . .

An Bhean Tíre: Nach bhfuil a fhios agat go dtagann an ceol is binne ón chláirseach seo? Is binne í ná ceol na n-éan. Cad chuige nach dtabharfaidh tú an tseanghé bhréan sin dom agus beidh an chláirseach nua seo agatsa?

Seán: Ní dóigh liom go mbeireann sí uibheacha óir.

An Bhean Tíre: Mise amháin a bheidh buartha faoi sin. Ná habair a dhath. Anois, sin margadh maith!

(Beireann an Bhean Tíre greim ar an ghé agus ritheann sí léi, ag caitheamh na cláirsí chuig Seán, a dhéanann iarracht greim a fháil uirthi. Go tobann, tagann Cócaire agus mála óir á iompar aici.)

An Cócaire: Cad é atá ar bun agat an lá breá te seo, a chara?

Seán: Tá mé ar lorg m'fhortúin.

An Cócaire: Agus an bhfuair tú go fóill é?

Seán: Tá an chláirseach seo á tabhairt isteach chun an bhaile mhóir agam. Chuala mé go raibh an ceol is binne ar domhan aici. Is binne í ná ceol na n-éan.

An Cócaire: A leithéid de chláirseach. Chuala mé faoi chláirseach mar sin. Tá sí chomh binn go mbíonn daoine ag caoineadh nuair a chluineann siad í. Ach, in ionad bheith ag sileadh na ndeor, sileann na súile seoda. Tabharfaidh mé an mála óir seo duit agus tabhair tusa an chláirseach chaite sin domsa.

Seán: Níl a fhios agam . . .

An Cócaire: Tá a fhios agat, cinnte. Céad píosa óir.

Seán: Ní dóigh liom go mbíonn daoine ag caoineadh seod léi.

An Cócaire: Mise amháin a bheidh buartha faoi sin. Ná habair a dhath. Anois, sin margadh maith!

(Beireann an Cócaire greim ar an chláirseach agus ritheann sí léi, ag caitheamh an mhála chuig Seán, a dhéanann iarracht greim a fháil air.)

Seán: Bhuel, is dócha go bhfuil m'fhortún déanta agam!

(Tagann Seán abhaile.)

Máthair Sheáin: Ar ais cheana féin? Níl ann ach meán lae!

Seán: Rinne mé m'fhortún, a Mháthair. *(Cuireann sé na píosaí óir ar an tábla.)*

Máthair Sheáin: Cad é mar a rinne tú é sin?

Seán: Bhuel, i ndiaidh dom dul síos an bóthar . . .

(Go tobann, tagann an Feirmeoir, an Bhean Tíre, agus an Cócaire chun dorais, agus na rudaí a fuair siad ó Sheán leo.)

An Feirmeoir: Sin é!

An Bhean Tíre: Bréagadóir! Dhíol tú gé gan mhaith liom!

An Cócaire: Gadaí! Ghoid tú mo chuid óir!

An Feirmeoir: Tá an Breitheamh ag teacht. Gabhfaidh sé é, agus ansin feicfimid cad é a bheidh le rá aige!

Seán: Ach tá mé neamhchiontach.

(Tagann an Breitheamh chun dorais.)

An Breitheamh: Ciúnas anois. Ciúnas! Cé acu duine an gadaí agus an bréagadóir?

An Feirmeoir, an Bhean Tíre, an Cócaire: *(Díríonn siad a méar ar Sheán.)* Eisean!

An Feirmeoir: Ghoid sé an ghé is fearr agam agus thug sé an pónaire gan mhaith seo dom ina háit. Dúirt sé go bhfásfadh sé ina ghás pónaire agus go dtabharfadh sé mé chuig taisce fathaigh.

Seán: Ní dúirt mise é sin!

An Cócaire: Nach í sin an ghé chéanna ar fhiafraigh tú díom cén dóigh ar féidir í a chócaráil do do shuipéar? Dúirt tú nár rug sí ubh mhaith le mí. Dúirt tú liom go raibh tú bréan de bheith ag tabhairt an bhia is fearr di agus go raibh tú le hí a ithe Dé Sathairn.

An Feirmeoir: Bhuel, umm . . .

(Tá náire ar an Fheirmeoir agus tosaíonn gach duine a gháire. Iarrann an Breitheamh ciúnas arís.)

An Bhean Tíre: Cad é fúmsa? Thug sé gé gan mhaith dom agus thug mise mo chláirseach bhreá dó. Dúirt sé go mbéarfadh sí uibheacha óir.

Seán: Ní dúirt mé a leithéid.

An Feirmeoir: Fan bomaite, anois. Tá a fhios agamsa faoin chláirseach sin. Tá sí as tiúin agus imíonn na sreangacha. An rud a dúirt tú liomsa go raibh tú le hí a chaitheamh sa bhosca bruscair.

An Bhean Tíre: Bhuel, umm . . .

(Tá náire ar an Bhean Tíre agus tosaíonn gach duine a gháire. Iarrann an Breitheamh ciúnas arís.)

An Cócaire: Agus cad é faoi mo mhála óir? Dúirt sé gur chaoin daoine seoda leis an chláirseach sin, agus ansin ghlac sé mo chuid óir!

Seán: Ní dúirt mé é sin!

An Breitheamh: Is é an rud is fusa le déanamh gach duine an rud a bhí acu ar dtús a thabhairt leo agus beidh deireadh leis an amaidí seo ar fad.

An Feirmeoir, an Bhean Tíre, an Cócaire: *(Díríonn siad a méar ar Sheán.)* Ní bheidh!

An Breitheamh: Coinneoidh seisean an síol. Anois, abhaile libh uilig!

(Agus iad ag gearán tógann gach duine a rud féin agus imíonn abhaile.)

Seán: Bhuel, a Mháthair, is dócha go n-iarrfaidh mé m'fhortún a fháil arís amárach.

Máthair Sheáin: Sin smaoineamh maith, a Mhic.

Seán: *(Síneann sé amach a sciatháin agus déanann méanfach.)* Cuirfidh mé an síol sula dtéim a luí.

Máthair Sheáin: Ná déan dearmad cúl do chluas a ní.

(Cuireann Seán an síol agus fásann gás pónaire ollmhór ón phota.)

Seán: Anois, sin margadh maith!

CAIBIDIL 9

Brat Bróg

Carachtair

Barra an Buachaill Bó: Buachaill bó a chaitheann seanéadaí, buataisí, agus hata

Méara Ó Meara: An Méara mór a chaitheann culaith le veist, hata agus uaireadóir póca

Seán Ó Suaraigh: Fear gnó ard tanaí a chaitheann culaith theann dhonn agus spéaclaí

Gobaire Ní Chabaire: Bean na ráflaí sa bhaile le sciorta dearg agus seál

An tSeanbhean: Bean chromtha a chaitheann gúna liath agus a shiúlann le bata siúil

Áine Ní Áilleagáin: Bean óg a chaitheann gúna bán agus boinéad agus tá parasól aici

Suíomh: Seanchearnóg sa sean-Iarthar

Am: Lúnasa, 1896, go mall tráthnóna

Smaointe Léiriúcháin

Smaointe Seit: Beidh cearnóg baile agus tine de dhíth. Is féidir an tine a dhéanamh le hadhmad agus 'bladhmanna' gearrtha amach as cairtchlár.

Smaointe Soilse: Tráthnóna samhraidh atá ann, mar sin, má tá an dráma taobh istigh, ba chóir do na soilse bheith geal.

Smaointe Fuaime: Cad iad fuaimeanna an tsean-Iarthair? Capaill agus ba? Cén sórt ceoil a bhíonn i scannáin an tsean-Iarthair?

Smaointe Éadaí: Úsáid scairf mar sheál, scáth fearthainne geal mar pharasól. Déan na hataí le páipéar trom.

Smaointe Fearais: Péinteáil na glasraí ar chairtchlár agus gearr amach iad. Ná húsáid uisce sa phota. Cuir na glasraí atá gearrtha amach sa phota agus 'measc' iad.

Barra an Buachaill Bó:

(Ritheann sé isteach i gcearnóg an bhaile, a hata ina lámh.)

Mise Barra an Buachaill Bó. Is fear siúil mé. Chonaic mé nathair ansin agus amach liom go beo.

Méara Ó Meara:

(Tagann sé isteach i gcearnóg an bhaile.)

Fan leat ansin, a chara!
Ná bíodh buaireamh ort.
Is mise Méara Ó Meara.
Cad é an deifir atá ort?

Barra an Buachaill Bó: *(Buaileann sé na cuileoga atá thart air.)*

Am éigin eile,
Fáilte agus fiche,
Ach anois ba mhaith liom béile,
Thiocfadh liom bó a ithe.

Méara Ó Meara:

Daoine gan mhaith atá anseo

Is mór an trua é ach tá sé fíor.

Ní bhfaighidh tú úll, ní bhfaighidh tú cnó.

Ná bia ar bith eile, faraor.

Barra an Buachaill Bó:

Ach síos an bóthar thall,

B'fhéidir leathmhíle ar shiúl

Ba léir don duine dall,

Go raibh féasta ar siúl.

Méara Ó Meara:

Sin teach Sheáin Uí Shuaraigh.

Fear suarach atá ann.

Is beag a gheofá uaidh.

Barra an Buachaill Bó:

Ní oiread agus fonn?

Méara Ó Meara:

Oiread agus ceapaire,

Ní bhfaighidh tú uaidh.

Triail Gobaire Ní Chabaire,

Ach bí cúramach fúithi.

Barra an Buachaill Bó:

Bhí trioblóid go leor

Agam féin, go beo.

Agus sílim go mór

Nár mhaith liom arís í, go deo.

Méara Ó Meara:

Thall sa ghort liath,

Tá teach na Seanmhná.

Ní roinneann sí an bia.

Barra an Buachaill Bó:

Ó beidh agam mo lá!

Méara Ó Meara:

Áine Ní Áilleagáin thíos anseo,

Mise bean an bhia.

Rudaí fuara is rudaí teo.

Sin ceart, dar fia!

Barra an Buachaill Bó:

Déarfaidh mé seo leat,

Is mise an buachaill bó,

Gheobhaidh mé béile

Gan dua gan stró.

Pota is pláta,

Cuir chugam go gasta.

Oinniún is práta,

Bia te agus blasta.

Méara Ó Meara: *(Tugann sé amach pota uisce.)*

Seo do phota is d'uisce

Ach ní béile é.

Barra an Buachaill Bó: *(Caitheann sé a bhróg sa phota. Cuireann sé an pota thar an tine.)*

Brat a dhéanamh den bhróg

Sin a dhéanfaidh mé.

Seán Ó Suaraigh: *(Tagann sé isteach i gcearnóg an bhaile, é ag léamh nuachtáin.)*

Brat de bhróg?

A leithéid de chleas.

Barra an Buachaill Bó:

Is ea, brat na mbróg,

leis seo beidh sé deas:

Beidh meacain dhearga, tornapaí agus oinniúin uaim . . .

Seán Ó Suaraigh:

Ní mórán é. Fadhb ar bith dom.

Barra an Buachaill Bó:

Deifrigh anois! Ná cuir am amú!

(Imíonn Seán Ó Suaraigh)

Gobaire Ní Chabaire: *(Tagann sí isteach i gcearnóg an bhaile.)*

Fan bomaite! Tabhair coiscéim i mo threo.

Cad é atá tú a dhéanamh insa bhaile seo?

Barra an Buachaill Bó:

Prátaí atá uaim,

má tá siad agat, a chroí.

Gobaire Ní Chabaire:

Ná déan tusa fuaim,

Fan tusa i do shuí.

Barra an Buachaill Bó:

Tá mise gan ghruaim,

Déanfaidh mise mo scíth.

(Imíonn Gobaire Ní Chabaire. Tagann an tSeanbhean isteach sa chearnóg, agus bata siúil léi.)

Barra an Buachaill Bó:

Cé hí an bhean álainn atá tagtha anseo!

Ise atá álainn, go hiontach go deo.

An bhfaighidh tú tráta, tráta nó dhó,

Brocailí nó cabáiste,

Déanfaidh sin gnó.

Gobaire Ní Chabaire:

Is tusa atá deas.

Bí cinnte faoi sin.

Barra an Buachaill Bó:

Ó stad den phlámas,

Nó beidh mise tinn.

Gobaire Ní Chabaire:

Gheobhaidh mé na glasraí ach ná himigh i bhfad.

Barra an Buachaill Bó:

Níl mé ag bogadh.

Gobaire Ní Chabaire:

Bhuel, bí i do stad.

(Imíonn Gobaire Ní Chabaire agus tagann Áine Ní Áilleagáin isteach sa chearnóg, agus í ag casadh parasóil.)

Méara Ó Meara:

'S é do bheatha, a Áine,

An bhfuil tú ceart go leor?

Áine Ní Áilleagáin:

I gceart, go raibh maith agat.

Ach cé hé an fear seo?

Barra an Buachaill Bó:

Mise Barra an Buachaill Bó.

Áine Ní Áilleagáin:

Is tá tú ag déanamh cad é?

Barra an Buachaill Bó:

Ag iarraidh brat a bhruith.

Ní fada go mbeidh sé réidh.

Seán Ó Suaraigh: *(Tagann sé ar ais le glasraí.)*

Seo chugat gach rud.

Níl agam ach seo.

Barra an Buachaill Bó:

Maith thú, a Sheáin.

Isteach sa phota leo.

Gobaire Ní Chabaire: *(Tagann sí ar ais le glasraí.)*

Seo roinnt prátaí.

Níl agam níos mó.

Barra an Buachaill Bó:

Isteach sa phota leo.

Déanfaidh siad gnó!

An tSeanbhean: *(Tagann sí ar ais le glasraí.)*

Seo chugat na glasraí
Níl siad róthrom.

Barra an Buachaill Bó:

Isteach sa phota leo.
Ceolfaidh mé liom:
Pónairí agus prátaí,
Brocailí agus trátaí.
Suígí síos linne,
Go leor do gach duine.

Méara Ó Meara:

Ó, tá sé blasta!

Seán Ó Suaraigh:

Is é déanta go gasta!

An tSeanbhean:

Agus ní raibh sé casta.

Gobaire Ní Chabaire:

Bhuel, níl mise sásta!

Barra an Buachaill Bó: *(Ag cur an bhrait amach do gach duine.)*

Babhla do gach duine

Go díreach ón tine.

Ólaigí siar é!

Is é an brat fíor é!

Áine Ní Áilleagáin:

Sin an brat is fearr dár bhlais mé riamh!

Seán Ó Suaraigh:

Tá sé go hiontach ar fad!

An tSeanbhean:

Bhuel, níl sé chomh *holc* sin!

Méara Ó Meara:

Bhuel, a Strainséir, rinne
tú béile ar dóigh.
Ach cad é a rinne tú?
Inis dúinn an dóigh.

Barra an Buachaill Bo:

Ní chuirfidh mé in iúl
nó is rún é go fóill.
Ach le bheith ábalta siúl
beidh orm mo bhróg a fháil. *(Imíonn an fhoireann, ag ceol 'Pónairí agus Prátaí' . . .)*

Gluais

Ar chlé: an chuid den stáitse ar chlé ón aisteoir. Thig leat bheith thuas stáitse ar chlé, lár stáitse ar chlé nó thíos stáitse ar chlé.

Ar dheis: an chuid den stáitse ar dheis ón aisteoir. Thig leat bheith thuas stáitse ar dheis, lár stáitse ar dheis nó thíos stáitse ar dheis.

Bileoigín: fógra beag ar pháipéar a dhéantar le dráma a phoibliú

Clár: leabhrán ina mbíonn liosta na gcarachtar agus na n-aisteoirí chomh maith le heolas eile faoin dráma

Cúlra: rud ar bith péinteáilte nó maisithe ar chúl an stáitse a chuidíonn leis an suíomh a chruthú

Cultacha: na héadaí a chaitheann na haisteoirí

Fearas: na rudaí ar an stáiste a úsáideann an fhoireann

Foireann: na haisteoirí sa dráma

Leid: líne nó gníomh a dhéanann aisteoir a chuireann in iúl do na haisteoirí eile go bhfuil an chéad líne eile nó gníomh de dhíth

Leid fuaime: líne nó gníomh a dhéanann aisteoir a chuireann in iúl go bhfuil fuaim de dhíth

Leid soilse: an líne nó an gníomh a chuireann athrú soilse in iúl

Réamhchleachtadh: ag cleachtadh an dráma

Réamhléiriú feistithe: na cleachtaí deireanacha roimh an chéad léiriú. Caitheann an fhoireann na héadaí a bheidh orthu agus úsáideann siad an fearas.

Stiúrthóir: an duine a insíonn do na haisteoirí an dóigh leis an dráma a dhéanamh

Suíomh: an t-am agus an áit a bhfuil an dráma suite ann

Thuas stáitse: an chuid den stáiste atá chun tosaigh ar aisteoir agus é ag amharc amach ar an lucht féachana. Is féidir bogadh suas stáitse.

Thíos stáiste: an chuid den stáiste atá ar chúl aisteora agus é ag amharc amach ar an lucht féachana. Is féidir bogadh síos stáitse.

Focal ó na hÚdair

Nuair a bhí mé naoi mbliana d'aois bhí mé sa dráma *Oliver!* Ó shin, ghlac mé páirt i níos mó ná caoga dráma. Bainim sult as gach cineál dráma – go háirithe drámaí páistí!

Angie Lee

Bhí dúil agam riamh in Iarthar Mheiriceá. Nuair a bhog mé ann, bhí iontas orm go raibh an spéir chomh mór agus go raibh spásanna móra ann. Mhothaigh mé go raibh gach rud indéanta.

Davis Nuss

Nuair a bhí mé óg ba mhinic muid ag bogadh thart. Ach bhí mo shamhlaíocht i gcónaí agam. Chum mé scéalta agus rinne mé pictiúir agus, ansin, d'inis mé do mo theaghlach iad. Anois insím iad do gach duine.

Anna-Maria Crum

Focal ón Stiúrthóir

Bhí mé ag obair i mBunscoil Bhriotanach Stanley le deich mbliana, ag cur cláir iarscoile ar fáil dár gcuid daltaí. Ba iad na daltaí a phleanáil, a rinne réamhchleachtadh agus a chuir na drámaí sa leabhar seo i láthair.

Barbara Guynn

Focal ón Ghrianghrafadóir

Ó bhí mé óg bhí mé ag iarraidh bheith i mo ghrianghrafadóir. Bhain mé sult as na pictiúir a ghlacadh do *Ní mar a Shíltear a Bhítear!* nó bhain na páistí an oiread sin suilt as na drámaí. Bhí an-dúil agam sna cúlraí daite agus san fheisteas, chomh maith.

Mary C. Walker

Angie Lee (caibidlí 1-7), **Anna-Maria Crum** ('Margadh Maith') agus
David Nuss ('Brat Bróg') a scríobh
Mary C. Walker a mhaisigh
Jennifer Waters rinne an eagarthóireacht
Mary C. Walker a dhear

Grianghrafadóireacht bhreise le **Grindstone Graphics:** (lch. 17)

An leagan Gaeilge: 2008
An tÁisaonad, Coláiste Ollscoile Naomh Muire,
191 Bóthar na bhFál, Béal Feirste BT12 6FE

Foireann an tionscadail: Pól Mac Fheilimidh,
Jacqueline de Brún, Ciarán Ó Pronntaigh.
Áine Mhic Giolla Cheara, Risteard Mac Daibhéid, Alicia Nic Earáin, Máire Nic Giolla
Cheara, Fionntán Mac Giolla Chiaráin, Clár Ní Labhra agus Seán Fennell.
Tá na foilsitheoirí buíoch den
Chomhlachas Náisiúnta Drámaíochta as a gcuidiú.
[www.drama-gaeilge.com]

Arna chlóbhualadh ag Colorcraft

ISBN 978 0 732 74813 5